PRÉSENTE

BIDAULT / BAR 2

L'ENCYCLOPÉDIE IMBÉCILE
DE LA MOTO

ABRÉGÉ D'UTILISATION À L'USAGE DU MOTOCYCLISTE DÉBUTANT.

VENTS D'OUEST

© 2006 Éditions Glénat / Vents d'Ouest
Couvent Sainte-Cécile
37, rue Servan - 38000 Grenoble

www.ventsdouest.com

ISBN : 978-2-7493-0343-7
Première édition : © 1998 Éditions Vents d'Ouest
Pour la présente édition : © 2006 Éditions Vents d'Ouest
Tous droits réservés pour tous pays - Dépôt légal : novembre 2006
Achevé d'imprimer en Italie en février 2011 par L.E.G.O. S.p.A.,
sur papier provenant de forêts gérées de manière durable.

ABRÉGÉ
D'UTILISATION À L'USAGE DU MOTOCYCLISTE DÉBUTANT

LA MOTO VOUS TENTE MAIS SES RITES VOUS EFFRAIENT ?... VOICI LE MÉMENTO QUI FERA DE VOUS UN MOTARD CHEVRONNÉ.

Par Michel Bidault   Illustrations : Bar2

I

UN PEU D'HISTOIRE...

LA MOTO FUT CRÉÉE EN 2012 AVANT J.-C. (JEANNE CALMANT) PAR UN INDIVIDU RÉSIDANT DANS UNE CAVERNE SITUÉE DANS LE SUD-OUEST DE LA FRANCE.

Dès qu'il l'eut inventée, il s'empressa de le faire savoir à ses copains.
Pour toute réponse, il reçut un gros coup de massue sur la tête, accompagné de ces quelques mots d'encouragement : " Rien à foutre de tes conneries, tant qu'on n'aura pas découvert le pétrole et la roue, ça ne marchera jamais.

Va plutôt chasser le bison, 'y a plus rien à manger...".
Comme quoi être en avance sur son temps, c'est pas toujours facile. Dépité, il laissa tomber les recherches. À noter que les épures techniques de ses premiers prototypes sont toujours visibles aujourd'hui sur les parois de la grotte de Lascaux (Dordogne).

En 2012 avant J.-C.,
Brâ-Kahmm inventa, sans grand succès,
le premier flat-truies de l'histoire...

Il faudra attendre encore quelques siècles avant que naisse réellement la moto dans sa forme définitive.

● Au préalable, Pascal inventa la brouette, cependant il manquait une roue à l'arrière, et Poulidor la draisienne, mais il avait oublié les repose-pieds.

● Ce n'est qu'au tout début du XXᵉ siècle quand, lassé de ne pouvoir rentrer sa voiture dans son garage, G. Palcompadenleuye décida de couper son automobile dans le sens de la longueur, qu'apparurent les premières vraies motocyclettes...

II

DÉCLARATION CONSTITUTIONNELLE DES

DROITS DU MOTARD

ARTICLE 1

SERA CONSIDÉRÉ COMME MOTARD
TOUT INDIVIDU CHEVAUCHANT
UN DEUX-ROUES MOTORISÉ,
À L'EXCEPTION DES CURÉS EN SOLEX,
FLICS EN MOBYLETTE, CONDUCTEURS
DE POUSSE-POUSSE ET MÉNAGÈRES TIRANT
UN CABAS À ROULETTES.

ARTICLE 2

Le motard a les mêmes droits que les automobilistes.

ARTICLE 3

Sauf qu'il n'a pas de pare-chocs et qu'il ferait donc mieux de ne pas jouer au plus malin.

ARTICLE 4

Le motard a le droit imprescriptible de jurer comme un charretier dans les cas suivants :
● Eté pourri.
● Retour de sandow en pleine poire.
● Déversement d'essence sur les testicules.

ARTICLE 5

Il est permis au motard d'avoir une moto bruyante, de se garer n'importe où, de circuler sur les trottoirs, de remonter les files de voitures et de péter au lit.

ARTICLE 6

Toutefois, il n'y a pas de quoi en être fier.

ARTICLE 7

En cas de choc frontal avec un(e) automobiliste, le motard a toujours tort parce qu'il ne paie pas de vignette.

ARTICLE 8

Non seulement le motard ne paiera pas moins cher l'autoroute que les autres usagers, mais en plus il aura le droit de les faire pester quand il cherchera sa monnaie dans les poches de son blouson.

ARTICLE 9

Pour éviter tout risque d'épidémie, les motards circulant en bandes devront être vaccinés contre la fièvre aphteuse.

ARTICLE 10

... Et si le motard n'est pas content avec tout ça, il a le droit de s'acheter une voiture.

III

UNE MOTO C'EST QUOI?

UNE MOTO EST COMPOSÉE DE DEUX ÉLÉMENTS ESSENTIELS :

A

B

LES ROUES

LE MOTEUR

Quel que soit le modèle, les roues sont toujours rondes. Pour protéger les jantes, on les entoure d'un demi-boudin en caoutchouc appelé pneu. Lavable, il permet d'écraser les piétons, et d'un simple coup de jet retrouve l'aspect du neuf.

Un moteur est rempli de trucs compliqués à l'intérieur. Il ne faut jamais ouvrir un moteur. D'abord ça porte malheur, et ensuite c'est bien trop de bordel à remonter. Si on essaie quand même, on s'aperçoit qu'il y avait plein de vis et de rondelles en trop. Preuve que les constructeurs gaspillent sans vergogne et que les ingénieurs sont cruels envers les cerveaux sains.

... Il ne faut jamais ouvrir un moteur.
À l'intérieur, c'est plein de trucs bizarres...

IV

À QUOI SERT UNE MOTO?

D'ÉMINENTS SCIENTIFIQUES SE SONT PENCHÉS SUR LA QUESTION. EN CHŒUR, ILS ONT RÉPONDU :

À RIEN.

*Une moto ne sert strictemet à rien, c'est prouvé.
En revanche, un motard amateur de sportives
peut faire un excellent baromètre ...*

IV
À QUOI SERT UNE MOTO ?

EFFECTIVEMENT,

EN Y REGARDANT DE PLUS PRÈS, LA MOTO NE SERT PAS À GRAND-CHOSE :

—A—

On circule dans des conditions épouvantables :
- froid
- pluie
- vent

—B—

On est exposé à des risques majeurs :
- infrastructure routière
- camions
- hérissons
- saison de la betterave
- primes d'assurance
- cheveux gras

Et le tout dans un confort quasi inexistant !

POURTANT,

FACE À LA VOITURE, LA MOTO POSSÈDE DES AVANTAGES :

—A—

En premier lieu, une économie conséquente sur les dépenses d'essuie-glaces.

—B—

Ensuite, l'utilisateur maladroit ne risque pas de se coincer les doigts en refermant le capot...

—C—

Sans oublier, naturellement, toutes ces petites joies simples que seul peut offrir le pilotage d'un deux-roues motorisé :

1. Ah ! Le bonheur d'être coincé dans les bouchons derrière un bon gros diesel puant...

2. Oh! Ce plaisir intense d'admirer le paysage à travers une visière recouverte de buée...

3. Hou! Les joies de l'imprévu...
- gravillons
- bouches d'égout
- bouses de vache
- insectes en pleine poire

- flaques de gazole
- marquages glissants
- portières de voiture
- factures de révision
- retour de kick...

4. Hmm! Les sensations olfactives, la narine comblée par l'odeur du lisier de porc durant chaque traversée de la Bretagne...

... MAIS S'IL EST VRAIMENT UN DOMAINE OÙ LA MOTO SURCLASSE TOUS LES AUTRES TYPES DE VÉHICULES, C'EST CELUI DE LA

So-li-da-ri-te!

V

LA SOLIDARITÉ MOTARDE

DÉFINITION : S'AIMER LES UNS LES AUTRES... MÊME ET SURTOUT SI ON NE PEUT PAS SE PIFFER

Les automobilistes ne connaîtront jamais la belle fraternité du monde motard. Le doux réconfort d'une main amie tendue bien haut...

RÈGLE

Quand deux motards se croisent, ils doivent se faire un petit signe amical. Si l'un des deux ne répond pas au signe que lui fait l'autre, c'est un malpoli.

EXEMPLE

Votre moto est chargée de cent kilos de patates, lâcher le guidon peut provoquer un guidonnage engendrant une chute mortelle. Malgré tout, si vous croisez un autre motard, vous devez impérativement lui dire bonjour.

BAR2

Naturellement, si l'autre ne répond pas, vous serez en droit de faire demi-tour afin de le rattraper pour lui fracasser la gueule dans le caniveau.
(À noter que les caniveaux ont été faits pour écouler le sang des motocyclistes discourtois).

Toutefois, ce cas est assez rare. En principe, les motards s'aiment, s'entraident et ne ratent pas une occasion d'établir le contact...

EXEMPLE

Supposons que vous vous prélassiez benoîtement dans l'un de ces coins bucoliques qui font le charme de notre douce France *(bande d'arrêt d'urgence d'autoroute, aire-pissotières de nationale, etc).* Pour peu qu'un de vos semblables circulant en sens inverse vous ait remarqué, il reviendra immanquablement sur ses pas afin d'engager la conversation...

Surtout ne pas la refuser et suivre le dialogue.
D'autant qu'apprendre que la moto d'autrui consomme un peu d'huile au-delà de 7000 tours enrichit considérablement le patrimoine culturel du motocycliste avide de connaissances nouvelles... Autre cas où la solidarité joue à plein : **le radar...**

V BIS

QUE FAIRE QUAND ON APERÇOIT UN RADAR ?...

TOUT D'ABORD NE PAS PANIQUER.

Un radar n'est qu'un simple rectangle blanc destiné à garnir de billets les coffres-forts de l'État. Peut-être vous serez-vous trompé, ce n'était pas un radar mais une boîte à chaussures oubliée là par un cul-de-jatte distrait...

Mais ce cas est rarissime. Pour être certain qu'il s'agit bien d'un cinémomètre, on doit voir clairement des mouches au-dessus de l'appareil.

Donc, vous avez vu un radar, il faut absolument le faire savoir aux autres...

COMMENT PRÉVENIR LES AUTRES QUAND ON APERÇOIT UN RADAR...

LES MOYENS :

1 **L'appel de phare répété...**
Mais les motards croisés peuvent penser que vous êtes très poli, proche du lèche-cul, et que les signaux envoyés n'ont d'autre but que de dire bonjour...
Auquel cas vous aviez affaire à un imbécile. N'y pensez plus, s'il se fait pincer, c'est bien fait pour lui !

2 **Les gestes désespérés...**
Mais cela risque de vous déséquilibrer. Le mieux est encore de fabriquer un dispositif d'envoi de fusées de détresse. Ainsi d'une simple pression du pouce, vous réalisez un véritable feu d'artifice apte à faire comprendre à n'importe quel idiot qu'un danger n'est pas loin...

3 **Organiser une jacquerie**
Soulever le peuple, lui fournir des fourches, organiser un vaste cortège jusqu'à la maudite boîte et crier :
"Ah ça ira, ça ira, ça ira !"
Mais en principe on manque de temps...

Attention ! Le radar s'attaque toujours par derrière. Croiser son œil électronique serait fatal. Certains puristes l'affrontent à mains nues, mais un bon coup de démonte-pneu derrière les branchies reste encore la méthode la plus courante et la plus efficace. Tâchez de l'abattre au premier coup, car rien n'est plus dangereux qu'un radar blessé !

VI

L'EXCÈS DE VITESSE

QUELLE ATTITUDE ADOPTER POUR LIMITER LES SANCTIONS ?

Ne dites plus ...
"Mon compteur ne marche pas en ce moment."

Mais dites ...
"J'ai un ami bien placé à la préfecture."

Ne dites plus ...
"Vous m'étonnez, je tire un poil court..."

Mais dites ...
"Je crois en la justice de mon pays."

Ne dites plus ...
"Pourquoi vous m'emmerdez ? C'est ma moto, je paye mes impôts, je roulais sur une route à quatre voies bien dégagée, je suis en règle, j'embête jamais personne, pourtant vous mobilisez un dispositif gigantesque et quatre personnes pour m'arrêter... Vous faites moins les malins dans les banlieues chaudes !..."

Mais dites ...
" Policier, quel beau métier ! "

VII

LE MOTARD

DE QUOI EST FAIT LE MOTARD ?

Un motard est un être humain presque comme les autres. Toutefois, il diffère de ses semblables par une multitude de détails. Apprenez à les reconnaître en discernant le vrai du faux...

1 Les motards ont toujours un blouson :

VRAI

Eté comme hiver, le motard porte un blouson de cuir avec de la fourrure au col. En fait, ce n'est pas de la fourrure, mais les poils du torse qui dépassent. En effet, exposé aux intempéries, au fil du temps le corps du motard s'est transformé. Afin de lutter efficacement contre le froid, le motard s'est recouvert de la tête aux pieds d'un épais pelage...

2 Les motards ont de grands trous de nez :

VRAI

Cette anomalie est très facilement explicable. Lorsqu'une démangeaison survient en roulant, le motard n'a guère d'autre choix que de s'enfourner un doigt ganté de cuir épais (doublé Gortex avec molleton d'aisance) dans les narines... qui évidemment finissent par se relâcher à la longue.

③ Le motard est inculte :

FAUX

La bibliothèque des motards est toujours bien remplie : revues techniques, calendriers libidineux, manuels pour le gonflage des moteurs...
Par ailleurs, ce front bas les caractérisant n'est dû qu'au port répété du casque sur la tête...

④ Les motards ne communiquent qu'entre eux :

FAUX

D'un naturel très ouvert, le motard est partout. On en trouve à l'hôpital, chez le kiné, dans les commissariats, aux commissions de retrait de permis...

⑤ L'intérieur du motard est vide :

FAUX

Une fois découpé en tranches par le rail de sécurité le plus proche, on s'aperçoit en fait que le corps d'un motard est composé de plusieurs éléments :
- 15% de commandements d'huissiers
- 30% de factures de concessionnaires

- 10% de lettres de relance émanant d'une société de crédit
- 20% d'alcools forts (Bourbon, Calva, Ricard)
- 25% d'objets métalliques divers (outils, tire-bouchon, broches osseuses...)

⑥ La tête du motard doit être soigneusement protégée :

VRAI

C'est la raison pour laquelle il n'oublie jamais ses cachets d'aspirine quand il part faire la bringue.

⑦ Le crâne du motard est rempli de fromage blanc :

VRAI

Ceci explique qu'en été nombre d'entre eux roulent nu-tête, afin d'aérer leur boîte crânienne pour éviter qu'il ne tourne.

⑧ Quand on jette un motard du sixième étage, il retombe toujours sur ses pattes :

VRAI

Voilà pourquoi il est préférable de leur attacher les membres avant de les défenestrer.

La plupart des motards n'ont pas un...

Des enquêtes ont prouvé qu'une large majorité de mordus de moto n'avaient pas le physique adéquat. Giacomo Agostini lui-même, en dépit de ses 15 titres mondiaux, n'avait rien pour faire un bon motard :

Mauvais

1 tignasse abondante

2 œil sombre

3 oreilles décollées

4 mauvais cx facial

5 bras normaux

6 torse glabre

7 jambes courtes

Rien de tout cela ne prédisposait le champion transalpin à la brillante carrière qui fut la sienne. Son mérite n'en est que plus grand...

...PHYSIQUE ADAPTÉ À LA MOTO : VRAI !

Rares, en fait, sont les privilégiés que dame nature, dans sa grande bonté, a comblé des qualités morphologiques nécessaires à une bonne pratique du deux-roues :

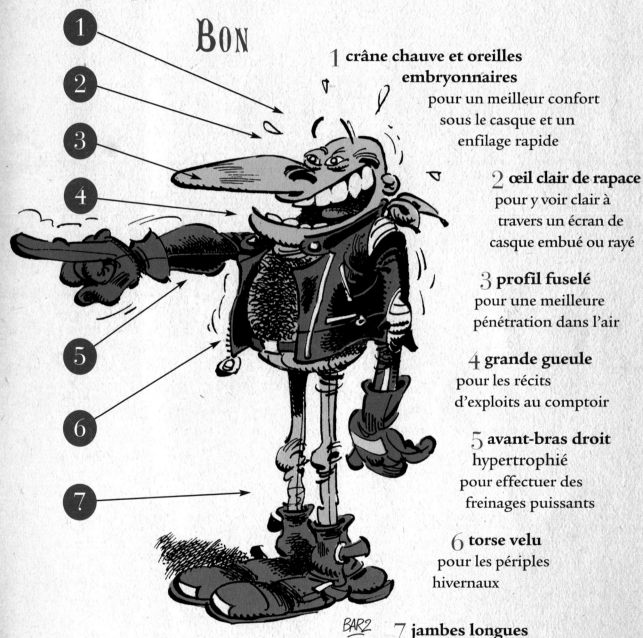

BON

1 crâne chauve et oreilles embryonnaires
pour un meilleur confort sous le casque et un enfilage rapide

2 œil clair de rapace
pour y voir clair à travers un écran de casque embué ou rayé

3 profil fuselé
pour une meilleure pénétration dans l'air

4 grande gueule
pour les récits d'exploits au comptoir

5 avant-bras droit hypertrophié
pour effectuer des freinages puissants

6 torse velu
pour les périples hivernaux

7 jambes longues
pour poser facilement le genou en courbes et pour avoir les deux pieds à plat au sol quand la moto est à l'arrêt

VIII

LE LANGAGE

Le motard a un jargon bien à lui.

Afin de déchiffrer son dialecte, voici quelques phrases courantes dont vous trouverez la traduction...

A **"Elle pousse velu"**

VEUT DIRE :

"Ma moto est très puissante".
(Note : cette phrase a une double signification et peut également vouloir dire : "Ma femme a un système pileux fort développé")...

B **"On a roulé peinards à cent-vingt, cent-trente tout le long du trajet"**

VEUT DIRE :

"C'est miraculeux que nous soyons encore vivants"...

C **"Ma bête, elle est souple "**

VEUT DIRE :

"Ma motocyclette reprend dès les plus bas régimes sans le moindre à-coup, d'une simple rotation de la poignée d'accélérateur."

D **"... Les copains, en vous suivant, mon compteur affichait cent, cent-dix !"**

VEUT DIRE :

"J'étais à 200 dans toutes les lignes droites tellement vous me larguiez dans les virages."

E **"Les gars, qu'est-ce qu'on a rigolé !"**

VEUT DIRE :

"On n'a pas dessoûlé de la journée."

F **"C'est une moto qu'il faut savoir aimer "**

VEUT DIRE :

"Je suis plus souvent à l'atelier que sur la route."

G **"Ma meule a du caractère"**

VEUT DIRE :

"J'ai acheté un sacré tas de merde, mais je ne veux pas que ça se sache."

"AH BON T'ATTAQUAIS, TOI ?"
VEUT DIRE :

"VU LA FAÇON DONT ON ROULAIT, N'AYONS PAS PEUR DES MOTS, C'EST UN MIRACLE QUE NOUS SOYONS ENCORE VIVANTS"

VOUS NOTEREZ QUE LE JARGON DU MOTARD EST PLUS CONCIS QUE LE LANGAGE COURANT !

BAR2

IX

LES CONCENTRATIONS

UN PEU COMME LES LOUPS GRÉGAIRES, LES MOTARDS AIMENT VIVRE EN BANDES.

Chaque année (si possible l'hiver), toutes les bandes convergent vers un même point afin de participer à une grande Assemblée Générale dont l'ordre du jour est automatiquement : "Bilan et perspectives"... Cela s'appelle les concentrations.

CE QU'IL FAUT SAVOIR :

Ne jamais aller à une concentration hivernale bien couvert. Un vrai motard se doit d'avoir froid. Pour réellement apprécier une "concentre", il faut attraper une pneumonie aiguë.

LES SECRETS D'UNE CONCENTRATION RÉUSSIE :

- Terrain boueux
- Entrée hors de prix
- Bouffe immangeable
- Temps pourri.

X
LES DÉTAILS INDISPENSABLES

Afin de prouver que vous êtes un motard pur et dur, il est nécessaire de satisfaire à un certain nombre de rituels. Les voici...

A LA MOTO

● **Otez un à un les picots qui se trouvent sur la bordure des pneus,** et faites remarquer à vos copains que vous savez prendre de l'angle.

● **Quand vous n'arrivez pas à suivre vos copains,** dites que votre moto a des ratés ou faites semblant de vous perdre. (Mais ayez honte quand même).

● **Quand un motard vous double,** conduisez d'une seule main afin qu'il comprenne bien que vous vous laissez faire.

Pour un mota[...]
le système dé[...]
usuel comp[...]
obligatoire[...]
un psource[...]
supplémen[...]
ou inférie[...]
Certes, c'es[...]
mais à fo[...]
on s'y fa[...]
Par exe[...]
80 km/[...]
devien[...]
20 kilo[...]
mais 3h[...]
de ro[...]
passe[...]
sub[...]
à 2[...]
lit[...]
a[...]

B LE PILOTE

● **Arrachez trois centimètres de toile** de votre pantalon à l'endroit des genoux, et dites que vos articulations frottent dans les épingles.
Les plus fanfarons peuvent faire la même chose avec les coudes...

● **Redéfinissez complètement le traditionnel système décimal.**
Pour un motard, le système décimal usuel comprend obligatoirement un pourcentage supplémentaire, ou inférieur. Certes, c'est compliqué, mais à force, on s'y fait... Par exemple, 80 km/h deviennent 140, 20 kilomètres, 50, mais 3h de route passent subitement à 2, et dix litres aux cent à six.

Chez le motard sportif, c'est aux trous dans l'étoffe qu'on voit le héros.

BAR2

XI

NÉCESSAIRE INDISPENSABLE...

Au motard partant en voyage

Avant de prendre la route, le motard prévoyant se doit d'emporter une trousse de première urgence. Celle-ci est composée de :

● **1 jeu de dés plombés** pour être sûr de gagner au "quatre cent vingt et un" les soirs d'étape, au moment de l'apéro avec les copains.

● **1 clé à molette** pour taper sur la tête des automobilistes irrespectueux du code de la route.

● **1 top modèle** pour se réchauffer la nuit au fond du duvet.

● **1 seau.**

● **1 tabouret.**

● **1 vache.**

(Ces trois éléments conseillés uniquement à ceux qui souhaitent disposer de lait frais le matin).

● **1 tuyau** pour siphonner le réservoir des voitures encastrées les unes dans les autres les jours de grands départs en vacances, parce que c'est toujours dommage de laisser perdre.

● **1 épouvantail** à agent de police, constitué d'un claquemerde à képi surmonté d'un rebrousse-matraque.

● **1 fils Trigano** pour le battre après les traditionnelles tentatives infructueuses du montage de la tente.

● **1 pigeon** voyageur qui connaît bien le chemin.

● **1 boîte de petits pois** pour accompagner le pigeon voyageur si celui-ci s'est trompé.

● ... et naturellement, autant de caleçons, chaussettes et tricots de corps qu'il y a de mois de congés.

XII

ROULER L'HIVER

LES 10 CONSEILS ESSENTIELS

C'est l'hiver. Par définition, il fait froid. Pourtant vous êtes un pur, un "roule toujours" quel que soit le temps. Voici quelques trucs qui vous permettront de circuler confortablement sans investir dans des équipements inutiles :

1 **Votre moto ne démarre pas :**

Logique : par moins quinze, la batterie se décharge. N'hésitez pas à mettre un grand coup de pied dans le carénage. Ce n'est pas ce qui la fera démarrer, mais au moins ça soulage. **Notre suggestion :** descendez et poussez. La route sera longue mais vous aurez bien chaud.

2 **Vous avez la tremblote :**

Rien de plus normal en cette saison.
Notre suggestion : arrêtez le vin blanc du matin. *(Nota : Le vin blanc peut être avantageusement remplacé par du champagne au petit déjeuner).*

3 **Vous avez froid à la tête :**

Votre casque fait des courants d'air, le vendeur vous a bien eu. Allez donc lui casser la gueule, ça réchauffe avant de prendre la route.
Notre suggestion : remplissez votre casque de paille. C'est un isolant parfait et très bon marché. Les très-très frileux préféreront une paille pleine de purin, idéale pour la santé du cuir chevelu. *(Nota : Pour trouver de la paille, s'adresser au Crédit Agricole le plus proche de chez vous, ou demandez conseil à ceux qui ont du poil dans les oreilles et les trous de nez).*

4 **Vous êtes frileux du buste :**

Un vieux truc utilisé par les générations de motards : le journal sous le blouson. À éviter : les revues imprimées sur papier glacé et "Neiges Magazine".

Notre suggestion : couvrez votre poitrine d'un bottin des PTT. *(À noter que l'édition en cours est bien plus avantageuse que celle de l'an passé car elle contient 3 pages de plus).*

5 **Problèmes au bas-ventre :**

Certains vieux motards parlent du "syndrome de l'escargot". Si vous en êtes victime, pas d'affolement. Ce réflexe de rétractation est tout à fait normal, votre virilité n'est pas en cause.

Notre suggestion : laissez dégorger 24 heures dans du gros sel, puis garnissez le tout de beurre aillé et persillé revenu à la poêle.

PREMIERS GRANDS FROIDS ? HOP ! MA BONNE VIEILLE PAIRE DE LOUTRES !

BAR2

6 Vos extrémités sont gelées :

C'est le cas le plus fréquent. Un bon moyen : se faire amputer des 4 membres. Mais c'est pas pratique quand l'été revient.

Notre suggestion : mettez vos pieds et vos mains dans la culotte de la passagère. *(Nota : l'utilisation de tapettes à rats au bout des moufles est vivement conseillée si votre passagère a des moustaches).*

7 Vous avez froid aux fesses :

Cette partie que l'on croit protégée mérite en vérité une grande attention.

Notre suggestion : mettez le réservoir sur vos genoux et asseyez-vous directement sur la culasse. *(Toutefois, nous rappelons aux fumeurs qu'un trou de balle bien gelé peut faire un coupe-cigare de qualité).*

8 Vous avez froid au nombril :

Un nombril qui joint mal engendre d'importantes pertes de chaleur.

Notre suggestion : colmatez-le au Sintofer. *(Nota : Attention, certains prétendent qu'il suffit de le*

dévisser pour enrayer le problème. Il n'en est rien. D'autant plus qu'une fois dévissé, les deux fesses tombent).

9 Vous craignez des genoux ...

... au point que descendre de votre moto devient un vrai calvaire...

Notre suggestion : ne descendez de votre moto sous aucun prétexte. *(N.B. : Si vos copains sont de vrais amis, ils vous apporteront un panier garni au moment des repas).*

10 Vous avez froid partout, en long, en large, en travers, et de bas en haut :

C'est en effet très fréquent chez les mauviettes...

Notre suggestion : la voiture, le train ou l'avion. *(Remarque : Mais vous n'êtes pas digne du label motard... Avouez tout de même que voyager inconfortablement en mettant quatre heures de plus qu'avec tout autre moyen de transport et récolter en prime une bonne bronchite, ça vous a une autre allure !).*

XIII

LES IMPRÉVUS

LA ROUTE EST PLEINE DE SURPRISES…

Afin de n'être jamais pris au dépourvu, retenez ces quelques conseils :

Que faire quand…

● … on file droit vers une bouche d'égout ouverte ?
Toujours bien mettre la main devant la bouche !

● … on est en présence d'un blessé ?
S'il est à plat ventre, le retourner pour que ses dents n'abîment pas le bitume.

● … votre passager fait une crise d'épilepsie ?
Lui mettre dans la main un shaker préalablement rempli d'un tiers de muscadet, un tiers de whisky et le reste de Viandox, afin d'obtenir un excellent cocktail maison touillé juste comme il faut.

● … l'accident fatal est inévitable ?
Pensez bien fort à la tête que feront vos créanciers quand ils apprendront la nouvelle.

QUE FAIRE QUAND...

... un Saviem de chez Sapassoux-Sackas force la priorité :

XIV

LES FAMILLES :
1/ LES PURS

SI LA GRANDE FAMILLE MOTARDE EST UNE
ET INDIVISIBLE, IL N'EN RESTE PAS MOINS VRAI
QUE QUELQUES GROUPES SUBSISTENT.

**Les 12 signes distinctifs
pour les reconnaître :**

1 Le Pur a un gros ventre,
de grosses joues, de
grosses cuisses, et s'exprime
avec de gros mots.

2 Le Pur a une grosse
passagère, de grosses
plaisanteries, une grosse
moto bien sale qui affiche
un gros kilométrage à son
compteur.

3 Quand le Pur remue la
tête, un petit récipient
astucieusement placé lui
permet de récupérer l'huile
qui coule de ses cheveux afin
de graisser sa chaîne.

4 Le Pur ne peut dormir
qu'entre son établi et la
fosse à vidange.

5 Le Pur a 3 amours dans
sa vie : sa maman, sa
moto, et sa caisse à outils.

6 Si au bout de huit jours
le Pur n'a pas fait de
moto, le manque survient, les
mains tremblent, le sphincter
se relâche.

7 Le Pur voyage surtout en plein hiver et n'aime rien tant que rouler sous la pluie.

8 Le Pur s'alimente de salades d'endives assaisonnées de 20w50 et arrosées d'un petit "sans plomb" de derrière les fagots.

9 Le Pur ne quitte jamais son casque, sauf quand il va faire pipi.

10 On n'a jamais compris pourquoi.

11 Contrairement à ce qu'affirme une légende tenace, le Pur n'a pas de moustiques collés aux dents. Il a les dents pourries, tout simplement.

12 D'une façon générale, le Pur déteste les étés ensoleillés, la Côte d'Azur, les mécaniques fiables, les motos à la mode et surtout, surtout, les frimeurs...

Le Pur : *Imbattable quand il s'agit de rafistoler une tige de culbuteur à l'aide d'une bite et d'un couteau, le Pur n'est guère outillé en revanche pour damer le pion aux Frimeurs en matière de passagères sexy. Un manque de prestige trop flagrant et une haleine de caïman tenace n'étant pas, on le sait, des atouts majeurs pour qui veut emballer ferme.*

XV

LES FAMILLES :
2/ LES FRIMEURS

LE FRIMEUR SE DISTINGUE DU PUR PAR DE NOMBREUX DÉTAILS.

APPRENEZ À LES RECONNAÎTRE :

1 Le Frimeur possède une moto spectaculaire et bruyante afin que les badauds se retournent sur son passage.

2 Le Frimeur a des lunettes noires, mais des ongles propres.

3 Le Frimeur mange avec une fourchette et relève toujours l'écran de son intégral avant de se moucher.

4 Le Frimeur a des passagères affriolantes.

5 Le Frimeur ne roule jamais loin des agglomérations, sauf s'il se perd en suivant un car de Suédoises qui lui font des signes derrière la vitre.

6 Le Frimeur se brosse les dents avec une fréquence qui frôle la maniaquerie *(au moins une fois par jour !)*.

7 D'une coquetterie maladive, le Frimeur ne roule qu'en été pour ne pas avoir à s'affubler de l'équipement qu'imposent les mauvaises saisons *(combinaison de pluie informe, moufles, sur-bottes flasques, cagoule moulante, slip en laine polaire, collants à bretelles, chaussettes de monta-gnard...)* et qui risquerait de ternir son image.
Autant d'accessoires qui font pourtant le charme du motard véritable...

BAR2

ATTENTION !!! DE NOMBREUX FRIMEURS SE CACHENT AUSSI

A) LE SPORTIF FRIME

● À l'instar du crocus, le sportif frime éclot au printemps et disparaît vers la fin de l'été.

● Incollable sur les marques en vogue dans les paddocks, il porte un soin extrême au choix de son équipement et ne lésine guère sur les achats d'accessoires racing censés améliorer les performances de sa machine.

● Enfin, l'admiration qu'il porte aux cracks du Continental Circus n'a d'égale que sa prudence à l'abord des virages, ce qui fait de lui une cible rêvée pour l'arsouilleur en herbe soucieux de se faire les dents sur une proie facile. D'autant qu'on le repère de loin grâce à ses couleurs vives et au vacarme de son bolide...

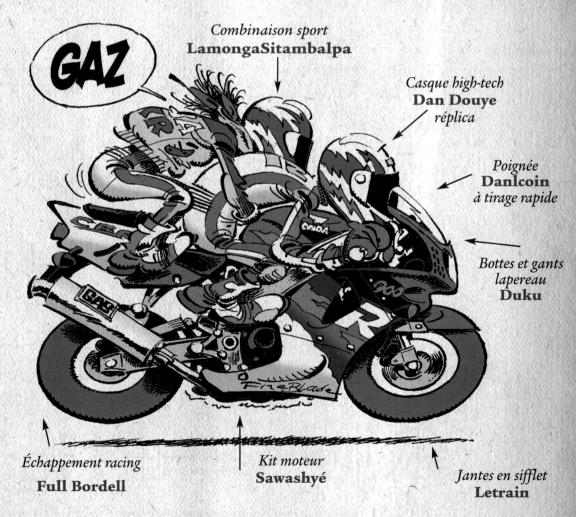

Combinaison sport **LamongaSitambalpa**

Casque high-tech **Dan Douye** *réplica*

Poignée **Danlcoin** *à tirage rapide*

Bottes et gants lapereau **Duku**

Échappement racing **Full Bordell**

Kit moteur **Sawashyé**

Jantes en sifflet **Letrain**

CHEZ LES MOTARDS SPORTIFS ! SACHEZ LES RECONNAÎTRE :

B) LE SPORTIF AUTHENTIQUE

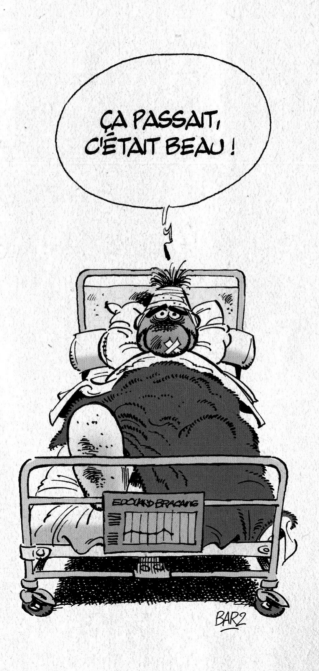

XVI

LES FAMILLES :
3/ LES BIKERS

LE BIKER A CETTE PARTICULARITÉ DE SE TROUVER À MI-CHEMIN ENTRE LE CLAN DES PURS ET CELUI DES FRIMEURS.

1 Le Biker a toujours la barbe qui traîne dans son assiette.

2 Une fois essoré, le blue-jean du Biker contient suffisamment d'huile pour remplir trente boîtes de sardines "Cap'taine Cook".

3 Le Biker se déplace uniquement en Harley-Davidson, avec un plan pour retrouver sa roue avant.

4 Les bras du Biker doivent prendre l'ascenseur pour saisir les poignées du guidon.

5 Ces mêmes bras sont tatoués de symboles lourds de sens, allant de "Il a bon goût l'agneau français" jusqu'à "Le bœuf, quel punch !"

6 En principe, le Biker ignore les Purs et déteste les Frimeurs. En revanche, le Biker supporte la passagère des Frimeurs, surtout si celle-ci affiche 95 D de tour de poitrine.

7 Les Purs savent rester corrects avec les Bikers, spécialement quand ils sont nombreux et musclés.

8 L'une des devises du Biker est : Sex, drugs and rock'n roll, ce qui ne fait pas de lui le gendre idéal.

XVII

LES FAMILLES :
4/ LES POIREAUX

LE POIREAU EST APPELÉ AINSI EN RAISON DE SON ATTITUDE RAIDE AU GUIDON...

1 Sont classés Poireaux tous les nouveaux venus, et d'une manière générale les motards lents ou prudents, lâches et timorés de tout poil.

2 Normalement, les motards rapides, qu'ils soient Purs, Frimeurs ou Bikers, injurient copieusement les Poireaux. D'ailleurs, il est d'usage quand on double un Poireau de lui cracher dessus après lui avoir fait une queue de poisson.

3 Pour se consoler, le Poireau tombe rarement, vit longtemps et en bonne santé, hérite des nombreuses passagères que la vitesse effraie, et n'a pas une réputation trop difficile à défendre. Malgré ces quelques avantages, certains Poireaux souffrent quand même de leur condition.

À leur intention, voici 5 excuses imparables qui leur permettront de sauver la face après s'être fait doubler par leurs amis :

● "Ne me dites pas que vous faisiez la course au lieu d'admirer ces merveilleux champs de betteraves !"

● "Cette saleté de monocylindre ne marchait plus que sur une patte !"

● "Maintenant que vos pneus sont chauds, on peut se la tirer, cette bourre ?!"

● "Depuis que j'ai perdu l'usage de mes yeux, j'avoue que mon pilotage n'est plus ce qu'il était..."

● "J'aurais bien voulu vous y voir, avec un sanglier sur les genoux !"

BAR2

**C'est à la dégaine d'un motard que l'on sait
à quelle famille il appartient...** *car il a su garder une âme
d'enfant et conserve un goût prononcé pour les panoplies...*

XVIII

LES CATÉGORIES DE MOTOS

Il existe toute une tripotée de catégories de motos :

1 la "Basique"
Moto ayant un phare, deux roues, un moteur... Mais SANS carénage.
● Premier truc à faire quand on achète une Basique : lui mettre un carénage. Conseillée à ceux qui ont des copains qui vendent des carénages.

2 la "GT"
Moto construite autour de sacoches dont la capacité de chargement va de la pendule franc-comtoise à l'armoire Louis XV.
● Idéale pour les déménagements, conseillée aux familles nombreuses.

3 le "Roadster"
Le nom de cette moto se doit d'être prononcé avec une patate chaude dans la bouche. Le Roadster est comme une Basique, mais là, le premier qui lui appose un carénage commet une sacrée faute de goût.
● Bien adaptée à ceux qui n'ont aucun ami dans la fabrication de carénage.

4 le "Trail"
Autrefois appelé "scrambler", le Trail a la particularité de pouvoir rouler à la fois sur la route et sur les talus.
● Recommandé aux alcooliques, malvoyants, et autres pilotes brouillons.

5 la "Trial"
À ne surtout pas confondre avec le Trail.
● La Trial est un engin d'acrobatie destiné aux trapézistes refoulés.

6 **la "Custom"**
Moto dépourvue de carénage, munie d'un guidon haut, d'une selle très basse, d'une grande roue à l'avant et petite à l'arrière, et d'un moteur anémique entre les deux.
● Ce type de machine est très prisé chez les vieux beaux et d'une façon générale parmi les sujets proches de l'andropause.

7 **la "Cross"**
Moto indispensable à qui veut ennuyer ses voisins tellement elle fait de bruit.
● Souveraine dans les flaques d'eau, la boue et les porcheries.

8 **les "Cyclos"**
De 50 cc de cylindrée, ces petites motos sont aussi bruyantes que les grosses, surtout si l'on met un paquet de Gitanes dans les rayons.
● Particulièrement bien vus chez les sourds.

9 **la "Sportive"**
C'est pile l'inverse de la Custom : moto entièrement carénée, munie d'un guidon très bas, d'une selle haute, et d'un moteur extrêmement nerveux entre les deux.
● Indispensable à ceux dont la moelle épinière est directement reliée à l'accélérateur.

10 **le "Scooter"**
Engin bizarroïde obtenu par le croisement d'une baignoire sabot et d'un cheval à bascule.
● Fort prisé chez l'adolescente pressée de montrer ses dessous au bal le plus proche.
(Très apprécié également au championnat "Court Vite" inter-banlieues.)

11 **la "Harley"**
Moto d'un autre âge dont le tarif est directement proportionnel au tour de taille de son propriétaire.

LES SPORTIVES

Véritables bêtes de circuit, les Sportives modernes sont réservées à l'élite. Seuls quelques experts aux nerfs d'acier parviennent à dompter de tels bolides...

LE TRAIL

*Le Trail est un engin hybride destiné à ceux
qui n'arrivent pas à choisir entre la route
et le tout-terrain...*

XIX

LES MOTOS ATYPIQUES

A LE SIDE-CAR

En matière de moto, le side est trop souvent considéré comme la cinquième roue du carrosse...

En règle générale, pour piloter un side il faut de bonnes raisons. Les plus fréquentes sont les suivantes : perte d'un morceau (bras, jambe, bref, tout ce qui dépasse), ou arrivée d'un morceau (bébé, compagne, animal, sac de pommes de terre).

● Sur la route, le side se comporte à peu de chose près comme une savonnette préalablement badigeonnée d'huile sur une planche enduite de paraffine.

● La plupart du temps, le side est moche et n'avance pas, mais ce n'est pas très grave car l'accident qui détruit tout n'est jamais bien loin.

● Le side-cariste est en principe fier, courageux, moustachu et endetté jusqu'au trognon. Son passager est inconscient, irresponsable ou trop feignant pour prendre les transports en commun.

B LE TRIPORTEUR

À ne pas confondre avec le tripoteur, engin à 10 doigts que l'on gare devant les écoles communales.

● Le triporteur a une particularité imparable : son toit. L'ingénieur qui a mis au point ce véhicule avait, à une roue près, inventé la voiture. Malheureusement, il est mort avant de le savoir.

C MOTO DE COLLECTION

Il s'agit d'un vieux tromblon tout pourri que le motard restaure avec joie au fond d'un garage dépourvu de chauffage en plein hiver.

● Une fois réparé, on constate généralement qu'il ne marche toujours pas, tout en étant revenu beaucoup plus cher qu'une moto neuve.

LE CHOPPER

En ville, sa fourche démesurée réclame une certaine habitude...

XX

LES GRANDES ÉPREUVES SPORTIVES

Tout motard se doit d'aller un jour à une course afin d'applaudir ses pilotes favoris.
Parmi les plus grandes épreuves, nous trouvons :

- Le Grand Prix de France
- Les 24 Heures du Mans
- Le Bol d'Or
- Le Paris-Dakar
- Le Tourist Trophy
- Le Milan-San Remo, mais c'est du vélo.

A Le GP de France

Comme son nom l'indique, il s'agit de l'étape française du championnat du monde de vitesse. Le spectateur y est particulièrement choyé : après s'être acquitté du droit d'entrée (des mensualités seront bientôt possibles), il doit ensuite franchir un certain nombre d'obstacles (vigiles, chiens, contrôleurs) pour avoir l'autorisation de planter sa tente au milieu d'un terrain vague. Après quoi il pourra assister à la course depuis un monticule de terre dressé derrière des fils de fer barbelés. À noter que le rapport prix/chutes est tout à fait intéressant.

B Les 24H du Mans

Épreuve prestigieuse et rassemblement bien connu, tous les ans des milliers d'estomacs convergent vers les charcuteries mancelles afin de refaire le plein de rillettes. Comme toute course d'endurance, au bout d'une heure le spectateur ne comprend plus rien et commence à s'ennuyer ferme. En dépit de cet état de fait, les organisateurs n'ont toujours pas songé à créer une nouvelle course baptisée "La 1/2 Heure du Mans", et c'est bien dommage.

Débarquant du monde entier à l'approche de l'été, les concurrents du célèbre **Tourist Trophy** *se livrent à de farouches empoignades.*

C Le Bol d'Or

Le "Bol" est la plus célèbre et la plus ancienne épreuve de 24h moto. Elle se déroula durant plusieurs années dans le Sud de la France, sur le circuit du très regretté Paul Ricard, qui aura décidément fait beaucoup pour les motards. Ce très beau tracé n'avait qu'un défaut : la piste était inondée dès qu'un orage éclatait, ce qui provoquait parfois des grèves de pilotes. Quoi de pire en effet qu'un Ricard noyé dans l'eau...

D Le Paris-Dakar

Injustement attaqué, ce rallye est la dernière aventure humaine. Certes, les coureurs sont encadrés d'une escadrille d'avions, d'hélicoptères, embarquent une balise satellite, sont suivis de camions d'assistance, de télévisions, d'une centaine de journalistes qui n'ont pas manqué l'aubaine de se dorer au soleil quand il fait si froid en Europe... Mais les plus crétins peuvent quand même se perdre ! Surtout au moment du départ, entre l'Étoile et la Porte Maillot. C'est en tout cas la course favorite des pronostiqueurs prudents, car ce sont toujours les favoris qui gagnent.

E Le Tourist Trophy

Cette course mythique disputée sur l'Île de Man est de loin la plus périlleuse. Son tracé qui traverse villages et campagne ne pardonne guère l'erreur de pilotage, car ceux qui tombent meurent souvent. Mais en dehors des quelques victimes qu'on y déplore chaque année, cette épreuve dispose d'atouts non négligeables. Entre autres, la possibilité pour les concurrents de s'offrir, au beau milieu de la course, une petite halte bien méritée à la terrasse d'un pub, devant une bière bien fraîche. Cela vaut bien quelques sacrifices. De plus, les rescapés ayant chuté juste devant l'hôpital communal n'écopent pas d'une pénalité pour "chance insolente". Ce qui d'ailleurs n'est pas juste.

XXI

L'ART DU PILOTAGE

POUR BIEN PILOTER, AVANT TOUTE CHOSE IL FAUT ENFOURCHER LA MOTO...

Celle-ci chevauchée, l'apprenti conducteur doit apercevoir le guidon et le tableau de bord. Si ces accessoires (indispensables à la conduite) ne sont pas visibles, c'est qu'il est monté à l'envers.

● Une fois dans le bon sens, il faut démarrer. Pour y parvenir, étudions les différentes techniques :

1 le démarreur électrique
D'une simple pression du pouce sur un bouton, le moteur s'ébroue. (En cas d'amputation du pouce, ça marche aussi très bien avec l'index).

2 le kick
Il s'agit d'une tige en métal sortant du moteur, qu'il faut actionner d'un coup de jarret vif et précis.
● Normalement, une bonne moto ne démarre jamais du premier coup. Sinon elle ferait bécane de Frimeur. Un Pur doit absolument s'acharner sur le kick, suer sang et eau pour mériter que le moteur daigne émettre un son. Le bâton de maréchal est obtenu par le fameux retour de kick. En gros, la tige remonte violemment avant d'avoir fini sa course. Avec un peu de chance, on peut se casser la jambe... Ce qui assurera une audience importante les soirs de veillée au Moto-Club.

3 la poussette
Technique consistant à pousser la motocyclette au pas de course tout en débrayant. Quand celle-ci atteint une vitesse suffisante, sauter sur la selle et embrayer.
● Ce procédé assure la joie des passants. Il n'est pas rare en effet qu'une chute survienne, provoquant ainsi l'hilarité générale.
(À noter que les Purs poussent uniquement leur moto dans les côtes).

4 la manivelle
Procédé de moins en moins usité, sauf sur les motos de collection et les orgues de barbarie.

Une fois le moteur en marche, passer la première et... c'est parti !
Le premier arrêt reste toujours un moment extrêmement dangereux. En effet, le distrait oublie de poser un pied à terre, et c'est la chute tant redoutée. Il faut donc toujours garder à l'esprit qu'une moto est instable quand elle ne roule pas... Attention ! Eviter de trop y penser. C'est un coup à s'acheter une voiture.

Ces premiers mètres effectués, vous connaissez désormais l'essentiel.

À PRÉSENT, IL EST NÉCESSAIRE D'APPRENDRE DE QUOI SONT FAITS LES DIFFÉRENTS AXES...
Ceux-ci s'articulent autour de 3 catégories :
● La route
● L'autoroute
● Les départementales

1 la route
Une route est un grand ruban gris entouré d'un fond vert appelé paysage et bordé de poteaux à

L'ART DU PILOTAGE
Règle n°1 : la première est toujours en bas, le reste en haut...

...BEN LÀ... LE RESTE AUSSI EST EN BAS !

feuilles appelés platanes. Le motard partage la route avec les voitures et les camions appelés "chicanes mobiles".

● Sur la surface de la route, on trouve des lignes blanches pointillées disposées de manière à séparer l'axe en deux voies bien distinctes : celle de droite pour ceux qui s'en vont (vous), et celle de gauche pour ceux qui reviennent (les autres).

● On rencontre également des flaques de gazole au détour des virages (destinées à chasser la monotonie des longs périples), et des petites bêtes écrasées (déposées exprès pour faire plaisir aux taxidermistes).

● Quand les routes traversent une forêt, de gros animaux peuvent surgir, mais à l'exception de ceux munis d'un gyrophare sur le dos, ils ne sont pas prioritaires. Il est donc permis de les écraser.

2 l'autoroute

L'autoroute est une piste de vitesse sur laquelle des automobilistes qui n'ont même pas été qualifiés roulent malgré tout. Et ce, à la barbe des commissaires de piste !

- L'autoroute est équipée de stands tous les trente kilomètres, et ceinturée de belles glissières luisantes aiguisées tous les matins afin de trancher proprement la tête des motards qui conduisent mal.

3 la départementale

Une départementale est un chemin badigeonné à la bouse de vache ou au crottin de cheval suivant les régions. Ces chemins mènent à des fermes protégées par des individus ayant du poil dans les oreilles, coiffés d'un chapeau de paille et pourvus de fourches au bout des bras.

Quel que soit l'axe choisi, il convient de conduire la moto avec maîtrise et assurance. Bref, de la piloter...

POUR BIEN PILOTER SA MOTO, IL FAUT IMPÉRATIVEMENT RESPECTER LES CONSEILS SUIANTS...

En virage :

● Dans tous les cas un virage doit être abordé à toute vitesse, la bave aux lèvres, une main sur la poignée de gaz et l'autre sur la médaille de St Christophe gagnée au 15e plein d'essence.

● Toujours suivre la trajectoire du regard. Si elle n'est pas belle, regarder les passantes en minijupe.

En ligne droite :

● Foncer ! Une ligne droite est monotone, autant s'en débarrasser le plus vite possible.

En grande courbe :

● Foncer ! Une grande courbe se négocie à fond, le genou posé sur le sol afin d'ajouter un point d'appui. Les jours de grande forme, on peut faire la même chose avec le coude, puis l'épaule. Quand le casque frotte, il est en général trop tard pour se féliciter d'avoir pris un aussi bel angle.

L'ART DU PILOTAGE

Règle numéro deux : la moto suit toujours le regard du pilote...

XXII

L'ÉQUIPEMENT DU MOTARD

EXPOSE AUX AFFRES DE LA CHUTE, AU FROID ET AUX INTEMPÉRIES, LE MOTARD SE DOIT D'AVOIR UN ÉQUIPEMENT COMPLET :

- Casque
- Gants
- Bottes
- Blouson
- Combinaison de pluie

 LE CASQUE

Dans tous les cas, le port du casque est impératif.

- Il s'agit de la carrosserie du pilote, il doit donc être choisi avec la plus grande précaution.

Quelques réponses à vos interrogations sur les casques :

1 "Je ne vois rien au travers…"

- Vérifiez bien la visière. Soit elle est fumée et vous roulez dans un tunnel, soit dans l'euphorie du départ vous avez enfilé l'intégral du mauvais côté.

- Dans ce dernier cas, une simple rotation du cou devrait suffire pour que tout rentre dans l'ordre.

2 "À quoi servent les deux anses sur les côtés ?"

- Méfiez-vous, on vous a sûrement revendu un pot de chambre en faïence de Gien.

3 "En ville, les gens me crient : T'auras pas l'Alsace et la Lorraine !"

- Il s'agit certainement d'un casque à pointe modèle 1916. Non homologué, sauf à Verdun.

4 "Dès qu'il pleut, ma tête est mouillée..."

● Vous avez sans doute confondu avec la passoire familiale.

5 "Dans la rue, les enfants me jettent des pierres..."

● Un vendeur mal intentionné vous aura refilé la moumoute de Dick Rivers.

B LES GANTS

Ils doivent absolument comporter autant de doigts que vos mains.

● Si les doigts des gants vous semblent exagérément longs et munis de petites ventouses, méfiance. Le vendeur tente de se débarrasser de ses pieuvres.

C LES BOTTES

Choisissez-les trois pointures au-dessus de votre taille.

● Ainsi, en plus des pieds, il sera possible d'y glisser de la paille, des vieux journaux et une paire de chaussettes tricotées en poil de chameau.

D LE BLOUSON

Il doit être noir et large d'épaules. Ceci afin d'effrayer l'automobiliste pleutre.

● En qualité de cuir, les sportifs choisiront la peau de limande plutôt que le veau.

E LA COMBINE DE PLUIE

Prenez-la étanche de l'extérieur plutôt que de l'intérieur. Cela vous évitera d'être à la fois trempé sous les averses, et inondé de sueur le reste du temps.

● Préférez les modèles transparents. Vous repérerez aisément l'endroit du pantalon où vous avez oublié vos clés.

LE CASQUE

*On a coutume de dire que le casque est la seule carrosserie du motard,
et c'est vrai. Voilà pourquoi il doit être choisi avec soin...*

XXIII

LA PLUIE

On ne peut évoquer l'univers du motard sans parler de la pluie...

Des statistiques qui disent tout :

40 % des motards ne roulent pas sous la pluie.

40 % des motards sont des poules mouillées.

60 % des motards sont mouillés tout court.

01 % des motards roulent vite sur le mouillé.

99 % des motards roulent vite sur le mouillé lors des récits de comptoir.

70 % des motards qui vont vite sur le mouillé sont malgré tout rongés par la peur de chuter. *(Les 30% qui restent n'ont jamais vu une grosse gamelle, mais ça ne devrait plus trop tarder...)*

100 % de ceux-ci sont un rien masochistes.

40 % des passagers de motards qui roulent vite sur le mouillé se mettent subitement à croire en Dieu.

10 % des combinaisons de pluie prennent l'eau au bout de 20 minutes.

50 % au bout de 2 heures.

100 % finissent tôt ou tard par prendre l'eau.

Nota : Si vous devez faire un très long périple un jour de pluie, inutile de revêtir cette chose immonde et encombrante. Vous serez mouillé plus vite, certes, mais vous gagnerez un temps précieux sur la durée de votre trajet. Soit :

● 20 minutes en séance d'enfilage et de calfeutrage.

● 2 minutes à jurer comme un charretier au moment du départ quand vous réaliserez avoir oublié vos clés de moto dans la poche revolver de votre pantalon.

● 15 minutes aux péages à extraire votre portefeuille du blouson puis à le remettre.

● 10 minutes à vous battre avec les usagers excédés de poireauter derrière vous depuis un bon quart d'heure.

50 % des motards pensent que le mouillé, c'est dans la tête... et se bourrent.

50 % des motards pensent que sur l'eau il faut adopter un style coulé... et se bourrent aussi.

100 % des motards pensent que de toute façon la pluie est une belle saloperie.

Avenant à l'article 4 de la Déclaration Constitutionnelle des Droits du Motard :

100% des motards auront également le droit imprescriptible de jurer comme des charretiers lorsqu'ils auront oublié leurs clés sous quatre couches de vêtements chauds, dont une combinaison de pluie parfaitement hermétique nécessitant à elle seule deux heures d'enfilage, une luxation de l'épaule et trois élongations tendineuses...

XXIV
LA
MOTARDE

LE MILIEU DE LA MOTO SEMBLE EXTRÊMEMENT MASCULIN, POURTANT LA FÉMINITÉ A DROIT DE CITÉ. MAIS EN FAIT, QUI EST LA MOTARDE ?

La motarde est une femme courageuse, reconnaissable aux traces de cambouis en forme de mains qu'elle a sur les fesses...

Comme l'amazone se fait couper un sein afin de mieux utiliser son arc, la motarde a souvent recours à l'ablation de la vessie, afin de ne pas avoir à enlever sa combinaison les jours de grands froids au bord de la route, quand ses doigts sont gelés, partant du principe qu'elle n'aura jamais le temps de faire pipi ailleurs que dans sa culotte, et que si elle y parvient, c'est pas pour que les automobilistes se rincent l'œil à moindres frais.

 CE QUE LES MOTARDS PENSENT DES MOTARDES :

● Elles avancent pas.
● Les rares qui avancent sont des garçons manqués.
● Celles qui avancent et se permettent, en plus, d'aller plus vite que les motards sont des écervelées parfaitement inconscientes des risques qu'elles prennent et qui n'ont de fille que le nom. Pour ne pas dire plus.
● Une bonne passagère doit impérativement manifester sa peur quand son pilote roule trop vite.
● Si elle n'a pas peur, c'est une gourde ignorante des choses de la route, et donc incapable d'apprécier à sa juste valeur le courage dont fait preuve son pilote en roulant au-dessus de ses pompes à tombeau ouvert.
● Si elle a peur... c'est bien une gonzesse, tiens !
● Dans un panier de side-car, une motarde remplace avantageusement un sac de sable de 50 kilos.
● Elle le remplace beaucoup plus avantageusement encore le soir à l'étape.

 CE QUE LES PASSAGÈRES PENSENT DES MOTARDS :

● Les motards sont beaux.
● Forts.
● Rebelles et sauvages.
● Extrêmement calés en mécanique.
● N'ont pas froid aux yeux.

Comme quoi les passagères connaissent bien mal leurs pilotes. Souhaitons qu'après lecture de ce manuel, lumière soit faite sur la nature véritable du pleutre irresponsable et maladroit qui lui sert de chauffeur. *(À l'évidence, ces créatures innocentes perdraient moins leur temps à siroter un verre en compagnie des auteurs de cet ouvrage qu'en risquant leur vie derrière des goujats.)*

XXV

LE SAVIEZ-VOUS ?

PAS DE BOBO ?!

● Quand deux motocyclistes se percutent de face à plus de 100 km/h, ça leur fait très mal !

● Quand on offre les œuvres complètes d'Alfred de Musset à un Biker, il prend ce geste pour de la provocation !

● Greffer un cœur d'automobiliste à un motard cardiaque ne sert à rien car il y a toujours rejet !

● Il est inutile de parler littérature à un grand accidenté de la route, car en général il ne vous écoute pas !

La dose de mauvaise foi contenue dans chaque motard est inversement proportionnelle à son habileté au guidon...

XXVI

LES DIFFÉRENTES FAÇONS DE ROULER

IL EXISTE TROIS PRINCIPALES MANIÈRES DE ROULER :

A À FOND, TELLE LA BUSE

B ÉLÉGAMMENT, AVEC L'AGILITÉ DU FÉLIN

C DOUCEMENT, AVEC LA GRÂCE DE L'ESCARGOT

A) Pour rouler à fond, rien de plus simple. Cela nécessite juste une bonne souplesse du poignet droit et un optimisme chevillé au corps.

● Le motard qui roule vite est un homme respecté et admiré de tous. Son courage séduit les femmes, son assurance au guidon fait envie aux Poireaux, et si d'aventure il finit par se faire mal, c'est en héros qu'il sera accueilli à sa sortie d'hôpital. Ses cicatrices lui assurant dès lors un sommet d'audience aux soirées du club.

B) **Le pilotage élégant** réclame une excellente maîtrise de la moto, une solide expérience de la route, et une lucidité sans faille.

● Autant dire qu'il n'est pas le plus usité, loin de là.

C) **Rouler doucement** est la pire manière qui soit.

● Le motard lent est un pleutre, un lâche, un dégonflé, un traître, un collabo, un peureux et un couard.

Ce triste individu sert de défoulement les soirs d'étape, ceux qui roulent vite ayant le droit de lui cracher dessus et de l'humilier publiquement.

Le motard lent a donc son utilité, voilà pourquoi son espèce est protégée.

XXVII
LE MOTO-CLUB

Galons de motard en poche, il vous est désormais possible d'adhérer à un moto-club... Un moto-club est un regroupement de motards. Quand ce club est rattaché à la Fédération Française de Moto, c'est un club officiel. Quand il ne l'est pas, c'est un club "sauvage" (et non pas "un club de sauvages" comme l'appellent trop souvent les voisins du club).

● Pour faire un moto-club digne de ce nom, il faut 4 éléments indispensables :

1 LE LOCAL

Les motards se réunissent une fois par semaine dans un local.
Ce local est, en général, le bistrot d'en bas d'où habite le Président.
On y trouve...
A) un flipper
B) un juke-box
C) à boire
D) un calendrier cochon
E) des posters de pilotes
F) une remise, où s'entassent pêle-mêle cadres faussés, outils, soupapes tordues, carénages froissés en réfection, bidons d'huile...

2 LE PRÉSIDENT

Est nommé Président du moto-club celui qui a la plus grosse moto.
● Lors des réunions, ses thèmes favoris sont : "dans quel supermarché les bières coûtent-elles le moins cher ?", ou encore "qu'est-ce qu'on pourrait bien faire ce week-end ?".

3 LE TRÉSORIER

Pour assurer une correcte gestion du moto-club, celui-ci doit être constitué (en dehors du Président), d'un trésorier et d'une secrétaire.
● Généralement, le poste de trésorier est tenu par un feignant, car les moto-clubs n'ont jamais d'argent, les comptes sont donc vite faits.

4 LA SECRÉTAIRE

En revanche, la secrétaire se tape un sacré boulot quand il s'agit de retranscrire sur papier les borborygmes d'une vingtaine de soudards avinés. Par ailleurs, la secrétaire doit aussi nettoyer les traces de vomi laissées par l'assemblée, entendre les pires horreurs et montrer ses seins. Voilà pourquoi cette fonction reste la plus difficile à pourvoir.

XXVIII

LES FLÉAUX DU MOTOCYCLISTE

En dehors des policiers et gendarmes, le motard connaît, hélas, bien d'autres prédateurs. Parmi eux :

● LE GAZOLE
● LES BANDES BLANCHES
● LES RAINURAGES
● LES PIÉTONS

1 LE GAZOLE

Le gazole est un carburant gras, bon marché, qui sent très mauvais. Il a été inventé par hasard à la suite des travaux d'un savant fou qui cherchait à mettre au point un parfum destiné à attirer les putois. En dehors des automobilistes radins, les routiers en raffolent, au point d'en gaver plus que de raison le réservoir des camions qui, évidemment, déversent leur trop-plein au premier virage venu. C'est la fameuse flaque de gazole, bien connue des centaines de motards dépourvus d'odorat qui, chaque année, ont la malchance d'y poser leurs roues.

2 LES BANDES BLANCHES

Les bandes blanches et autres marquages au sol sont en plastique, donc glissants comme du verglas dès qu'il pleut (c'est-à-dire, en gros, 300 jours par an). Ces marquages prolifèrent d'année en année, à tel point qu'aujourd'hui on recense :

● les lignes continues
● les lignes pointillées
● les zébras
● les passages protégés
● les fléchages
● les lignes de priorité
● les "Vas-y Poupou !"

(Ce dernier marquage tend toutefois à disparaître. On n'en rencontre plus guère que de vieux spécimens aux abords du col du Galibier dans les Hautes-Alpes, et à l'approche du Tourmalet dans les Hautes-Pyrénées.)

Conclusion : par temps de pluie, roulez sur les trottoirs, les talus, où vous voulez mais jamais sur la route. C'est bien trop dangereux.

3 LES RAINURAGES

Miner les routes aurait risqué d'accidenter l'automobiliste, les bombarder aussi, apposer des tireurs à la mitraillette sur les bas-côtés également. C'est pourquoi... les rainurages furent inventés. Grâce à eux, seuls les motards sont en danger. En dehors de les éliminer, les rainurages n'ont aucune utilité. Cependant les motards peuvent s'estimer heureux qu'il n'y ait pas encore des filins d'acier tendus horizon-talement à hauteur de cou...

4 LES PIÉTONS

Les piétons sont des bipèdes qui traversent la route quand le motard ne s'y attend pas. Eperonné bien comme il faut, le piéton doit se retrouver face au motard, à cheval sur le phare. Le motard bien élevé peut profiter de cette rencontre fortuite pour lui proposer de l'amener jusqu'à son lieu de destination. Mais en général le piéton refuse. Comme quoi la bonne volonté est rarement récompensée...

LES FLÉAUX... Les feuilles mortes :
comme dit la chanson, en automne on les ramasse à la pelle...

XXIX

MOTO CULTURE : LES DICTONS

LE MOTARD QUI N'EST PAS UN SOT A SOUVENT DES PHRASES TOUTES FAITES À LA BOUCHE...

Afin de vous épargner l'effort d'en trouver, en voici quelques-unes à placer durant les conversations :

" La peur n'évite pas de manger "

" Je penche donc je suis "

" Noël aux bastons, Pâques d'immatriculation "

" Partir, c'est pourrir un pneu "

" Ni Dieu, ni chronomètre "

" Toute panne mérite galère "

" Le frein justifie les moyeux "

" Dans toute gomme il y a un poinçon qui sommeille "

" Honni soit qui mal y penche "

" Le deux-temps, c'est de l'argent "

" La vitesse, c'est dépasser "

" Dans le mazout, abstiens-toi "

" À tout moteur, tour d'honneur "

" Après l'appui viennent les bons temps "

" Faites la bourre, pas la guerre "

" Loin des pneus, loin du cœur "

" Du pain, du vin, du bourrin "

" Mouche ton nez et dis bonjour au macadam "

" La cigale se trouva fort dépourvue quand le pare-brise fut venu "

" Piston heureux n'a pas de chemise "

" Il faut bien que vitesses se passent "

" La clé à molette est la mère de toutes les vis "

" Il n'y a pas de chute sans gravité... " *(Isaac Newton, 1665)*

" Le talus n'attend pas le nombre des années "

VOILÀ, à présent vous savez tout, ou presque, du monde motocycliste. De ses us et coutumes jusqu'à son délicat langage.

Grâce à ces précieux conseils les voyages seront, à n'en pas douter, jonchés des plus belles émotions. Sans jamais être pris au dépourvu, vous accumulerez les kilomètres en toute quiétude.

Naturellement, il faudra toujours emporter le présent ouvrage avec soi.

Surtout si le terrain est meuble. Astucieusement placé sous la béquille latérale, il permettra à votre moto de ne pas s'enfoncer... Bonne route !

DÉJÀ PARUS

"Ils sentent un peu l'essence et l'huile bouillie,
mais ils sont marrants."

JOSIE - SERVEUSE AU "JOE BAR"